Texte :
Martin Waddell

Illustrations :
Penny Dale

Bonne nuit Gros Nounours

Un beau soir, à l'heure du dodo,
Michou se mit à jouer à son jeu préféré.
« Où est Gros Nounours ? dit Michou.
Est-ce que quelqu'un a vu Gros Nounours ?
Demandons à tout le monde. »
« À tout le monde ? » dit Maman.
« Oui. Commençons par Papa »,
dit Michou.

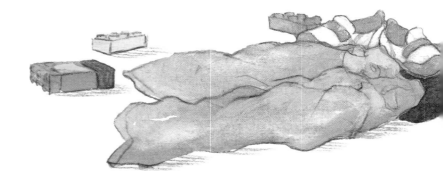

« As-tu vu Gros Nounours ? »
demanda Maman à Papa.
« Il est encore disparu, juste
avant le dodo de Michou. »

« Il est peut-être parti au
Brésil en bateau », dit Papa.
« Il a des tas d'amis là-bas
et tu sais comme
il aime la mer. »

« Je ne pense pas »,
dit Michou.

« As-tu vu Gros Nounours ? » demanda Michou à Alex. « Il est peut-être allé au parc d'attractions », dit Alex. « Tu sais comme il aime les manèges. »

« Je ne pense pas », dit Michou.

« As-tu vu Gros Nounours ? » demanda Maman à Sarah. « On en a besoin tout de suite, c'est l'heure du dodo de Michou. » « Il est peut-être allé pique-niquer dans un arbre », dit Sarah. « Tu sais comme il aime les pique-niques. »

« Je ne pense pas », dit Michou.

« Personne n'a vu Gros Nounours », dit Maman.
« Mais, on n'a pas demandé à tout le monde »,
dit Michou. Maman demanda
alors à Gigi la Girafe,
à Cochonnet, puis
à Esméralda.
Personne n'avait vu
Gros Nounours.

« Bonne nuit, Esméralda.
Bonne nuit, Cochonnet.
Bonne nuit, Gigi »,
dit Michou.

« Maintenant, on a vraiment demandé
à tout le monde », dit Maman.
« Tu ne me l'as pas demandé,
à moi », dit Michou.
« As-tu vu Gros Nounours,
Michou ? » demanda
Maman.

« Il est en haut. Il enlève ses vêtements. »

« Il met son pyjama », dit Michou.

« Il se brosse les dents dans la salle de bain. »

« Il est dans ma chambre, prêt pour le dodo »,
dit Michou.

« Mais, je ne vois pas Gros Nounours », dit Maman.
« Il se cache », dit Michou. « Il fait toujours ça
à l'heure du dodo ! » « Et où se
cache-t-il ? » demande Maman.
« À toi de le trouver », dit Michou.

« Est-ce qu'il est ici, dans ta chambre ? »
dit Maman. « Je pense que oui »,
dit Michou.

« Près de ton lit ? » dit Maman.
« Je pense que oui »,
dit Michou.

« Sous ton oreiller ? » dit Maman.
« Je pense que oui », dit Michou.

« Je t'ai trouvé, Gros Nounours ! » dit Maman.
« Je savais bien que Maman te trouverait »,
dit Michou à Gros Nounours. « C'est la meilleure
chercheuse de nounours au monde ! »

Michou s'installa dans son lit,
Gros Nounours dans les bras.
Maman leur raconta l'histoire
du petit garçon et de son
ours qui naviguèrent jusqu'au
Brésil. Ils furent capturés par
des pirates mais ils réussirent à
s'échapper et à rentrer à la
maison à temps pour le dodo.

« Bonne nuit, Maman », dit Michou.
« Bonne nuit, Michou », dit Maman.
« Bonne nuit, Gros Nounours »,
chuchota Michou.

Michou et Gros Nounours fermèrent
les yeux et firent un beau dodo.